Directora de la colección:
M.ª José Gómez-Navarro

Proyecto y realización:
Torre de Babel, S. L.

Diseño de cubierta:
SPARAFUCILE/MASHICA

© De esta edición: Editorial Luis Vives, 2002
Carretera de Madrid, km 315,700
50012 Zaragoza
Teléfono: 913 344 883
ISBN: 84-263-4802-5
Depósito legal: Z. 866-02
Talleres Gráficos Edelvives
50012 Zaragoza

 Talleres Gráficos
Certificados ISO 9002

Printed in Spain

PALABRAS CURIOSAS

selección y textos de **Enrique Cuesta**
ilustraciones de **Elia Manero**

colección
Alcancía

Introducción

Este libro recoge ordenado alfabéticamente, el origen divertido, curioso y, a veces, misterioso de un pequeño grupo de palabras de uso común. No tiene pretensiones de obra de consulta sino, más bien, de libro de entretenimiento con el que poder rastrear la historia o el origen de palabras tan insólitas como *abracadabra*, tan comunes como *bicicleta* o tan sabrosas como *chocolate*. Descubriremos así, que el vocablo *corbata* viene de una prenda que usaban los soldados croatas que luchaban en Europa hace siglos, o que la voz *pamela* nació de la mano de la protagonista de una novela del siglo XVIII. A través de las más de 170 voces registradas, podemos advertir la amplia variedad de lenguas que han enriquecido la nuestra: desde el griego al alemán, pasando por el francés, el hindú o el árabe. Observaremos que una gran cantidad proceden de este idioma: casi todas las que empiezan por *al*.

El texto se acompaña, además, de unas graciosas ilustraciones que refuerzan el sentido de las definiciones y aportan una nota de humor y desenfado.

Abracadabra

Es una palabra mágica, utilizada por los brujos, magos y hechiceros. Tiene, al parecer, virtudes maravillosas y se emplea en conjuros. Fue inventada por un filósofo, Basílides, hace más de 1800 años: él llamaba Abraxas o Abrasax a un dios con grandes poderes. A fuerza de decir «Abraxas, Abraxas, Abraxas...», resultó la palabra abracadabra en nuestra lengua.

Aguinaldo

Son las golosinas, los dulces o el dinero que se entrega a los niños y adultos que van de puerta en puerta durante las fiestas navideñas. Es una costumbre muy antigua, pues ya los romanos se hacían regalos durante esas fechas invernales, aunque no conocían la Navidad. Mucho más tarde, en las iglesias se cantaban canciones de bienvenida al Año Nuevo, y algunas comenzaban con las palabras latinas *Hoc in anno...*, que significa «en este año». Con el tiempo, aquellas palabras se convirtieron en *hocinanno*, y después en *aguinando*, para acabar en *aguinaldo*.

Albóndiga

Las albóndigas son un plato delicioso, compuesto de carne picada, huevo, ajo y perejil; se prepara una masa con la que, después, se hacen pequeñas bolas y se aderezan con distintas salsas. Los árabes ya conocían esta comida y la llamaban *búnduga*, que significa «bola». Como los árabes siempre colocaban el artículo *al* delante de las palabras, los castellanos entendían *al bunduga*, de donde nació la voz *albóndiga*.

Alcachofa

Es una flor verde cerrada, con hojas que esconden
un corazón blanco y tierno. Un poeta dijo que las
alcachofas eran los guerreros con coraza de las verduras,
porque parece que tienen armadura. Es una palabra
de origen árabe. Ellos conocían esta verdura con
el nombre de al harsufa. Los castellanos dijeron durante
algún tiempo aljarchufa, y después, alcarchofa;
hasta que modernamente se dijo alcachofa.

Algarabía

Los árabes estuvieron en la Península casi ochocientos
años. Es, por tanto, muy natural que los españoles
tengamos muchas palabras con este origen en nuestro
diccionario. Este pueblo, al que los cristianos llamaban
moros, decían que su lengua se llamaba arabiya.
Y la lengua de los árabes que vivían en la Península
se llamaba arabiya garbiya. Los cristianos, como no
comprendían bien estas palabras, dijeron que esa lengua
era al arabiya garbiya, y con el tiempo, algarabiya
o algarabía. Como los árabes gritaban mucho cuando
entraban en batalla, la algarabía pasó a significar «gran
alboroto y griterío», y así lo entendemos ahora.

Alpargata

La alpargata es un calzado informal que se utiliza normalmente en verano. Antiguamente era el calzado
de los campesinos y aldeanos, se fabricaba con esparto
y se anudaba con cintas o cordeles a la pantorrilla.
Como otras palabras que comienzan con al, su origen

es oriental. Los árabes llamaban a este calzado *pargat;* así al *pargat* fue en castellano *alpargate,* y en hoy decimos *alpargata.*

Barahúnda

Los sabios no saben a ciencia cierta de dónde pudo venir esta palabra a nuestro diccionario. Significa «revuelo, gran alboroto, con gritos y carreras». Algunos piensan que tiene su origen en las antiguas religiones griegas. Allí se adoraba a una diosa llamada Cibeles Berecynthia. En las fiestas de esta diosa, los sacerdotes bebían vino, saltaban y tocaban instrumentos con gran alboroto. De estas fiestas tan ruidosas dedicadas a Berecintia pudo nacer la palabra *baracuntia* o *baracundia,* hasta que finalmente se dijo *barahúnda.*

Basilisco

Utilizamos esta expresión en la frase PONERSE HECHO UN BASILISCO, que significa «enfadarse mucho, comportarse con violencia, estar muy airado». El basilisco (o *basiliscus,* como decían los romanos) era una especie de serpiente o lagarto. Según ellos, su aliento quemaba las plantas, su piel abrasaba las piedras y su veneno era poderosísimo y mortal. Las gentes pensaban que el basilisco nacía de los huevos puestos por un gallo (¡los gallos no ponen huevos!) y a veces se pinta como un animal horroroso, mitad águila mitad dragón. La característica más sobresaliente del basilisco era que tenía tres espinas en la cabeza, como si de una corona se tratase. Por eso los griegos decían *basiliskos,* que significa «reyezuelo».

Bellota

La bellota es el fruto del roble y de la encina. Presenta una forma muy graciosa, porque parece que tiene boina. Es también el alimento favorito de los cerdos. Los árabes conocían este fruto y lo llamaban *balluta*. Los castellanos sabían la palabra latina (*balanus*), pero prefirieron utilizar la forma árabe y dijeron *ballota*, y después, *bellota*.

Berenjena

Las berenjenas son un fruto de mata, con forma de porra y de color morado. Un sabio decía que las berenjenas provocaban la melancolía, que daban tristeza y dolor de cabeza; pero no es cierto. Los árabes trajeron el nombre desde muy lejos, desde Persia, donde este fruto se llamaba *badingana*. Los castellanos dijeron después *benenjena* y, luego, *berenjena*.

Bicicleta

La primera bicicleta la inventó el barón de Drais de Senerbrón en 1818, pero aquella bicicleta no tenía pedales, ni cadena. Se movía impulsándose con los pies sobre el suelo. Los hermanos Michaux inventaron el mecanismo de los pedales: aunque estas bicicletas tenían una rueda delantera grandísima y eran bastante incómodas. Los ingleses la llamaban *bicycle*, componiendo la palabra con dos partes: *bi*, que significa «dos», y *kiklos*, que en griego significaba «círculo»; dos círculos, dos ruedas. Los franceses dijeron *bicyclette* y de esta palabra viene la española *bicicleta*.

Bigote

El bigote es el pelo que algunos hombres se dejan crecer bajo la nariz. El bigote solo, sin barba, es bastante moderno. Hace unos cuatro siglos sólo lo llevaban los soldados alemanes. Cuando entraban en batalla lo hacían al grito de *bei Gott!*, que significa «¡Por Dios!». Como lo repetían tantas veces, los españoles llamaban *beigotes* a aquellos valentones y, ya que la característica principal era su mostacho, los que se dejaban crecer el pelo bajo la nariz eran *bigotes*. Finalmente, el mismo mostacho acabó por llamarse *bigote*.

Bizcocho

Antiguamente era un tipo de pan que se les entregaba a los soldados y militares. Era, sobre todo, el pan de los marineros. Se llama bizcocho porque estaba cocido dos veces (bis coctus, en latín). Este pan tenía la característica de resistir el paso del tiempo sin pudrirse y permanecía en buen estado durante muchos meses. Pasados los años, la palabra bizcocho pasó a denominar a un pastel tierno hecho de harina y huevos.

Boina

Especie de gorro de fieltro, generalmente negro, sin visera,
con un rabillo en la parte de arriba. Hace años los abuelos
contaban una divertida historia a los niños: decían que
las boinas nacían en un árbol; al principio eran verdes,
como las moras, y después, cuando maduraban, se volvían
negras. El rabillo de las boinas se debe, precisamente,
a que pendían de un árbol. Es una palabra moderna,
que el castellano tomó de la lengua vasca. Los vascos
la cogieron del latín popular *abonnis*, que significa «bonete».
Ahora, en el País Vasco tienen la *txapela*, que es una boina
un poco más grande.

Borrego

El borrego es un carnero que sólo tiene dos años.
Los latinos decían *burra* para denominar un tipo de lana
áspera y ruda. Los hispanos la llamaron *borra* y pensaron
que era la lana de los carneros jóvenes que, como tenían
poco pelo, se esquilaban mal y la lana era de poca calidad.
Los antiguos pobladores de nuestro país añadían muchas
veces a sus palabras la terminación *aecus* (que es como
un diminutivo). Así quedó *borraecus*, y de aquí se dijo
finalmente *borrecu* y *borrego*.

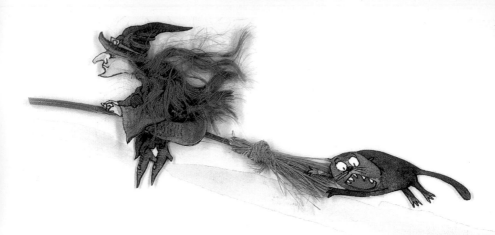

Bruja

Las brujas son hechiceras, magas; hacen pócimas
y encantamientos, y se cuentan historias terribles
de estas mujeres. Los antiguos españoles que viajaron
a los Países Bajos creían que la palabra *bruja* procedía del
nombre de una ciudad belga: Brugge, porque allí las casas
son como las de los cuentos. Esta ciudad se llama
en castellano Brujas. Sin embargo, *Brugge* sólo significa
«puente», porque en ese lugar hay numerosos puentes
y canales. Otros estudiosos piensan que la voz *bruja*
procede de las antiquísimas lenguas celtas, donde
bruskja significa «lluvia, frío, tormenta y tempestad»,
que es el tiempo preferido de las hechiceras.

Buhardilla

Una buhardilla es un desván con ventana en la parte
superior de algunos edificios, que a veces sirve como
vivienda o como cuarto trastero. Antiguamente
la buharda era el lugar por donde escapaban los humos
de una casa sin chimenea. Vista desde fuera, la ventana
del desván parecía que bufaba, como los toros o los
caballos: echaban humo por los agujeros de la nariz.

Como aquella habitación parecía bufar, la llamaron *bufarra,* o en diminutivo, *bufardilla.* De aquí nació la voz *buhardilla.* A veces también se dice *guardilla.*

Cabriola

C

Las cabriolas son los saltos y brincos que da una persona o un animal. Siempre se pensó que esta palabra tenía su origen en los saltos que dan los cabritillos cuando están en el campo. La palabra, sin embargo, procede del italiano: los romanos llamaban *capreolus*

a los ciervos y venados, y de esta voz los italianos dijeron *capriolo* (también significa «venado»). Los españoles copiaron este sonido, pero dijeron *capriola* o *cabriola*.

Calambre

Un calambre es una contracción de los músculos o de los tendones; es muy doloroso. Los antiguos creían que los calambres se evitaban llevando en el cuello un amuleto con los cuernos de un escarabajo. Al parecer, esta palabra llegó a nuestro diccionario desde las remotas tierras de Alemania, donde se decía *kramp*. Los franceses empleaban *crampe*. Los españoles copiaron esta palabra y pronunciaron primero *clampre*, y después *calampre*, hasta que, al fin, nosotros decimos *calambre*.

Cancerbero

Esta extraña palabra procede del nombre del perro que, según las leyendas de los romanos, guardaba las puertas del infierno. El can (el perro) se llamaba Cerberus. Decían que el Can Cerbero tenía una saliva venenosa y otros aseguran que poseía cincuenta cabezas. Por eso, hoy día, algunos periodistas llaman así a los porteros de fútbol y de otros deportes, por su fiereza a la hora de guardar la portería.

Cantimplora

Esta palabra tiene una bonita historia. Cuando los peregrinos y caminantes de Cataluña iban de un lugar a otro, llevaban una pequeña vasija de latón donde transportaban el agua para beber. Cuando esta vasija estaba medio vacía, producía un sonido particular, y a los caminantes les parecía que la vasija de latón cantaba y lloraba. En la lengua catalana decían *cant i plora* (canta y llora). De aquella frase se dijo en castellano *cantiplora*, y después *cantimplora*.

Capicúa

También esta palabra es de origen catalán. Un número capicúa es el que comienza y acaba del mismo modo, como estos: 2002 o 13031. Es decir, que el principio coincide con el final. Los catalanes decían *cap i cúa* (cabeza y cola) y los castellanos sólo tuvieron que unir ambas palabras para pronunciar *capicúa*.

Capricho

En la actualidad, un capricho es un antojo, propio de los niños. Pero antiguamente un capricho era una idea extravagante; por ejemplo, eran caprichos las pinturas extrañas, las composiciones musicales divertidas, etc. Esta palabra procede del italiano: los italianos llamaban *caporiccio*, que significa «escalofrío», a todo lo que les resultaba horroroso, tremendo. Se les ponían los pelos de la cabeza de punta (*caput*, cabeza, *riccio*, erizado, así: *caporiccio*). Después los italianos dijeron *capriccio*, y de aquí tomaron la palabra los españoles la voz capricho.

Caracol

El sonido de esta palabra ya parece sugerirnos que tiene una concha en espiral. Los estudiosos no saben a ciencia cierta de dónde pudo venir esta voz. Los romanos tenían una palabra para designar a todos los animales con

20

concha: *cochleolus* y, seguramente de aquí proviene nuestra
voz *caracol*. En portugués se dice también *caracol,*
en gallego, *caracó* y en vasco se llaman *korkiola o kokolaiko.*

Carantoña

Las carantoñas son las caricias y halagos que se hacen
a alguien para conseguir de él alguna cosa. También son
carantoñas los juegos y gestos que hacen los padres
a sus hijos. Antiguamente se llamaban carantoñas a
las mujeres viejas que se maquillaban mucho y por eso
también se llamaban carantoñas a las feas máscaras
que se empleaban en Carnaval. El origen de esta palabra

hay que buscarlo en la *caratula,* que era la máscara con que los actores de teatro cubrían su cara. Los españoles dijeron *carantonga,* y después *carantoña.*

Carmesí

Es otro nombre del color rojo o encarnado. Esta palabra tiene una historia curiosa. Los persas llamaban a los gusanos *kirm,* pero los árabes decían *qírmiz* o *qármaz.* De un tipo de gusanillo, conocido como cochinilla *(karme)* se extraían unos polvos rojos que servían para teñir las lanas y las sedas. Los árabes que vivían en la Península ibérica llamaban a estos polvillos *qarmazí,* y con esta palabra señalaban también ese color rojo que se extraía de la cochinilla: en castellano *qarmazí* pasó a ser *carmesí.*

Carnaval

Esta palabra indica los días de fiesta anteriores a la Cuaresma: los cuarenta días que preceden a la Semana Santa. Según la Iglesia católica, durante la Cuaresma sólo se podía comer una vez al día y estaba prohibida la carne. Eran, por tanto, los días «de quitar la carne», que los italianos conocían como *de carne levare.* De la unión de estas palabras, los castellanos dijeron *carnelevare* y, finalmente, *carnevale,* hasta llegar a *carneval* o *carnaval.*

Cascabel

Un cascabel es una pequeña campanilla redonda de latón, con una pieza metálica en su interior, y suena cuando se mueve. Los romanos llamaban a los cencerros de las

vacas *caccabus,* aunque en el sur de Francia se llamaron *cascabulus* y *cascabelus.* Los catalanes decían *cascavell.* En Cataluña fueron muy apreciados los cascabeles y eran un adorno frecuente entre los caballeros. Y del catalán fue precisamente de donde pasó al castellano esta sonora palabra.

Cebolla

La cebolla es un producto de la huerta: tiene un sabor fuerte, hace llorar, su carne es blanca y se dispone en muchas capas concéntricas. Los antiguos romanos llamaban *cepa* a la cebolla, aunque con más frecuencia decían *cepulla* o *cipulla* (aunque éstas eran las cebolletas, no las cebollas gordas). En castellano se dijo en un principio *cebulla* y, finalmente, *cebolla.* También fue durante muchos siglos uno de los alimentos más comunes entre las clases menos favorecidas. Una cebolla y un mendrugo de pan era todo un festín.

Cencerro

Esta palabra tiene un origen onomatopéyico: esto quiere decir que su nombre se debe al sonido que produce el objeto. Los cencerros, que se hacen de latón, cuando se cuelgan al cuello de las vacas o de los bueyes, hacen un sonido parecido a éste: *Cen-cen-cen...*
Y por esta razón se llaman *cencerros.*

Chambergo

Un chambergo es una gruesa prenda de abrigo para vestir en invierno. A mediados del siglo XVII vino a España,

a la corte de los Austrias, un militar alemán llamado
Schomberg. Todos sus soldados traían unas casacas
que los protegían de los fríos del norte. Los catalanes
llamaban a esos soldados *xombergos* (derivado de
Schomberg) y, como todos los xombergos llevaban
los mismos abrigos, al final esas prendas se llamaron
también *xombergos*. Los castellanos modificaron
un poco la palabra y dijeron *chambergos*.

Champú

Los ingleses conquistaron la India en el siglo XIX. Los ricos
hacendados y los militares allí instalados tomaron como

criados a los habitantes locales. En la lengua de aquellas gentes *champnaa* designaba tanto dar un masaje como lavar. Cuando un inglés o una inglesa deseaba que su criado le lavase la cabeza, le decía: «¡*Champoo, champoo!*». De esta palabra los ingleses crearon la voz *shampoo*, con la que denominaron al jabón para lavar el pelo, que en castellano se pronuncia aproximadamente champú.

Chimpancé

Los chimpancés son un tipo de monos muy inteligentes. Imitan muchos gestos de las personas y se sabe que algunos pueden expresarse mediante signos. Antes del siglo XVIII estos animales se llamaban *ximios* o *simios;* pero los naturalistas franceses comenzaron a utilizar la palabra *quimpezé* o *kampenzí* para designar a esos monos: así se llamaban en la lengua de los africanos de la selva. Los españoles transformaron esas palabras para escribir finalmente *chimpancé*.

Chocolate

La palabra chocolate la trajeron los conquistadores españoles de América. Los indios americanos, los aztecas, llamaban al cacao con el nombre de *kakawatl*, y era considerada una bebida divina que sólo podía tomarse en ceremonias especiales. Sus semillas se utilizaban también a veces como moneda de cambio. El chocolate tuvo mucho éxito en Europa, pero durante algún tiempo estuvo prohibido y hubo quien pensó que era pecado tomarlo. Como su sabor puro era bastante amargo, se mezclaba con azúcar y se aromatizaba con vainilla.

Cigüeña

La cigüeña, dicen los libros, es el animal más religioso del mundo: siempre anida en las iglesias, y por esta razón las personas cuidan y quieren a estas aves. Las crías de las cigüeñas se llaman cigoñinos. Es palabra de origen latino: los romanos las llamaban *ciconia*. Esta voz fue transformándose poco a poco, y se convirtió en *cicuenna*; después pasó a ser *cigüeña*.

Ciruela

Es el fruto del ciruelo. Hay ciruelas moradas, verdes, rojas y amarillas. Éstas son las verdaderas ciruelas. Los romanos las llamaban *cereolas*, porque eran tan amarillas que parecían de cera (de las velas o de las colmenas). Con el paso del tiempo la palabra *cereola* pasó a ser *cerola*, y después *ciruela*.

Cocodrilo

Los cocodrilos son reptiles peligrosísimos, nietos de los antiguos dinosaurios. Los más famosos son los que viven en las orillas del río Nilo, en Egipto. Los egipcios creían que estos animales odiaban el azafrán, y ponían en las puertas de sus casas matas de azafrán para espantarlos. En griego, azafrán es *krokos* y *deilos* es miedoso o cobarde. Por tanto, el animal que tiene miedo del azafrán es el *krokodeilos*. En castellano, esta palabra tuvo muchas formas: *cocodrillo, coquedriz, cocodrildo, cucadriz*, etc. Pero finalmente los más sabios dijeron que teníamos que usar *cocodrilo*.

Corbata

La corbata es una prenda de vestir; muchos hombres
se la anudan al cuello para estar más elegantes.
El origen de esta palabra es el siguiente: los antiguos
soldados de Croacia (al este de Europa) solían llevar
un pañuelo anudado al cuello. A los franceses les llamaba
mucho la atención aquella cinta al cuello que llevaban
les cravates (los croatas). Y la palabra cravate terminó
por designar no al soldado, sino al adorno.
Los españoles tomaron la palabra de este idioma.

Coscorrón

Un coscorrón es un golpe en la cabeza. Esta es otra
palabra onomatopéyica: imita el sonido del golpe:
¡Kosk! Muchos objetos que crujen o hacen ruido tienen
este principio: como coscurro (mendrugo de pan), coscarón
(pastel crujiente), coscarana (tarta crujiente), etc.

Cosquillas

Las cosquillas parecen haber nacido de la costumbre de hacer *kusk kusk* cuando frotamos alguna parte del cuerpo para provocar la risa. Sin embargo, un escritor antiguo decía que la palabra *cosquillas* viene de las *quisquillas*, unas pequeñas gambas que cuando nos bañamos parecen cosquillear nuestra piel. Y así, cuando nos hacen cosquillas es como si hubiera bichitos sobre nuestro cuerpo. Además, las quisquillas y las cosquillas producen la misma risa nerviosa.

Cucaracha

La cucaracha es un insecto corredor; algunas personas sienten asco y repugnancia cuando lo ven, porque las cucarachas suelen estar en lugares sucios.

Algunas personas piensan que esta palabra la inventaron los niños, porque los más jóvenes llaman *cuca* a cualquier animalillo pequeño. Otros creen que esta palabra es de origen americano, puesto que los indios de América llamaban a estos animales (o a otros parecidos) con el nombre de *kakerkkaki*.

Demonio

Los demonios son seres del infierno. Los antiguos creían que estos seres horrorosos ocupaban los rincones de las casas y poblaban los campos. Los mismos griegos, cuando conocieron al diablo de los cristianos, lo llamaron *daimonion*; los romanos, en latín, dijeron *daemonium*, y con el tiempo, los castellanos acabaron por decir y escribir *demonio*.

Desayuno

El desayuno es la primera comida del día, por la mañana. Los desayunos deben ser abundantes y completos, porque se necesitan fuerzas para trabajar o estudiar hasta la hora de comer. Antiguamente los hombres y las mujeres, por motivos religiosos, ayunaban: es decir, no comían. Pero la palabra ayuno tiene orígenes remotos, ya que los latinos llamaban *jejunus* a los pobres que no podían comer. Este *jejuno* pasó a ser *yeyuno* o *ayuno*; pero cuando se come es *desayuno*; es decir: que sí se come.

Diablo

Uno de los nombres que se le da al diablo es
«el Calumniador»; es lo mismo que «el que siembra
discordia, el que enfrenta a los hombres». En la antigua
Grecia, a las personas cizañeras y calumniadoras,
a las que pretendían crear guerra y enfados se les
llamaba *diabolos*. Los romanos dijeron *diabolus*.
Como el demonio o Satanás es el peor espíritu del mundo,
el que siempre crea discordia y odia la paz, con razón
ha de llamarse *diabolo* o, en castellano moderno, *diablo*.

Dinero

A las monedas y los billetes que sirven para comprar
y vender se les designa con el nombre genérico de dinero.
Esta palabra es de origen latino. Los antiguos romanos
ya contaban con monedas y cada cual tenía su valor.
La moneda más conocida era el *as*. Un *quinario* era lo
mismo que cinco ases, y un *denario* equivalía a diez ases.
Los denarios se llamaban en latín *denarius* y eran de
plata. Ésta fue una moneda muy popular, y de la voz
denarius pasó al castellano en la forma de *dinero*,
ya sin ningún poder adquisitivo concreto, sino general,
para todas las monedas y billetes.

Disfraz

Los disfraces son vestidos que se utilizan en las fiestas; sirven para ocultarse o para fingir que somos otra persona distinta. Es difícil saber de dónde viene esta palabra y los estudiosos dan diferentes opiniones.

Una de ellas sugiere que la costumbre de disfrazarse viene de muy lejos en el tiempo, de las antiguas fiestas romanas, llamadas Saturnales. En estas fiestas los hombres se vestían de mujer, las mujeres, de hombre, los señores se vestían de criados y los criados se vestían de señores. Estos juegos de disfraces se llamaban *dis facies* (otras caras), de donde, según algunos estudiosos, pudo salir la palabra *disfraz*.

Domingo

Los días de la semana tienen nombres de dioses romanos. El lunes es el día de la Luna; el martes es el día del dios Marte, el dios de la guerra y la discordia (por eso dice el refrán: los martes, ni te cases ni te embarques); los miércoles era el día que los romanos dedicaban a Mercurio; los jueves se celebraba la divinidad de Iove o Jove (Júpiter); el viernes eran el día de Venus; y el sábado era el día de Saturno. El domingo es el día de fiesta; los cristianos llamaban a este día «el día del Señor». Señor se decía en latín *dominicus*, y de esta palabra nació la voz castellana *domingo*.

Duende

Los duendes eran, antiguamente, los espíritus de las casas: en todas las casas había duendes; cambiaban

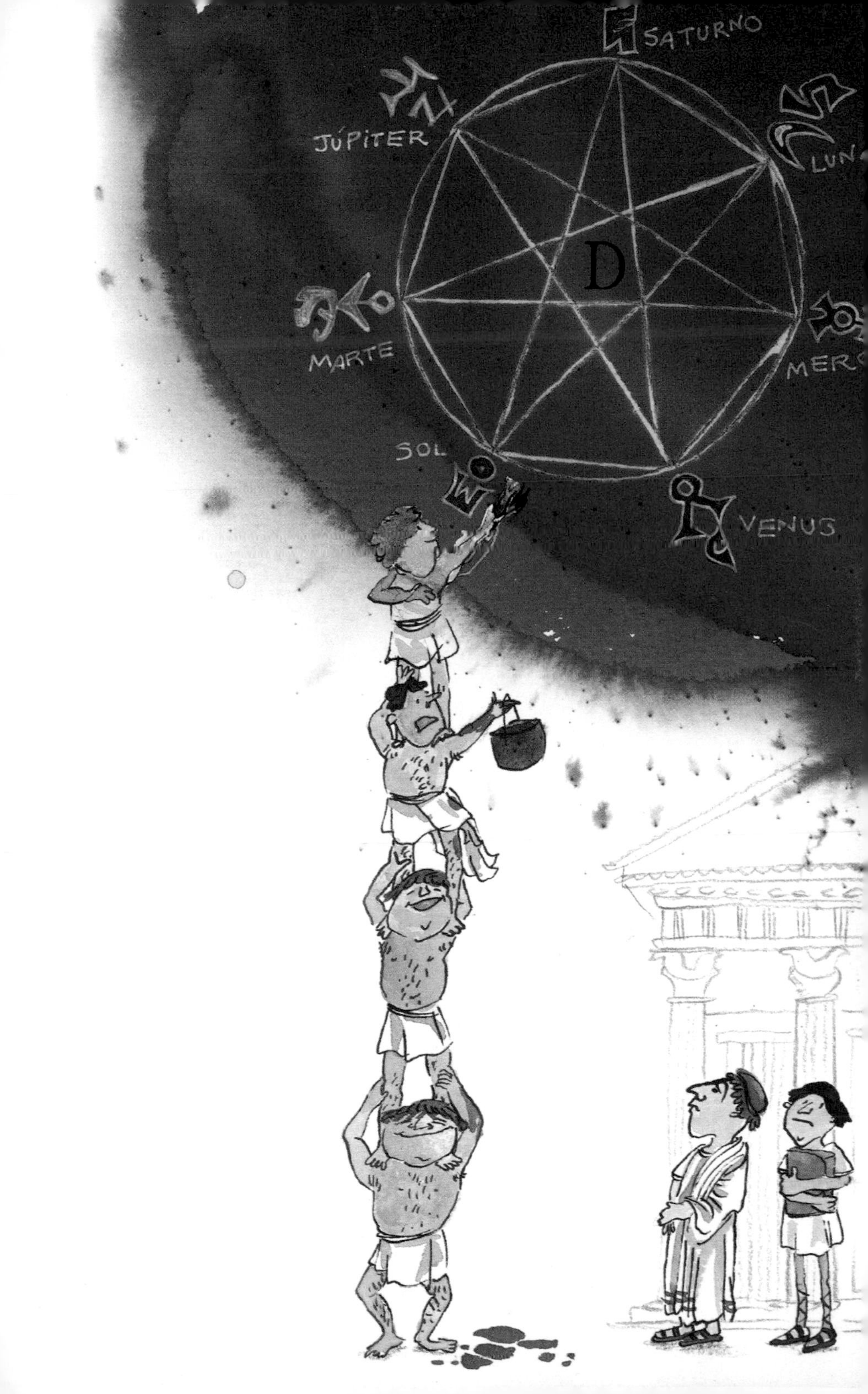
SATURNO
JÚPITER
D
MARTE
SOL
VENUS

las cosas de lugar, escondían las tijeras, o derramaban
la leche. Algunas personas piensan que no existen y lo
cierto es que nadie los ha visto. A estos espíritus
se les llamaba los «dueños de casa»; en la antigua
lengua castellana se decía *duen de casa*;
los castellanos acortaron la frase *duendecasa*
y lo dejaron sólo en *duende*.

Elefante

Los elefantes son los animales terrestres más grandes.
Tienen una característica trompa, enormes orejas
y colmillos, y sus patas son fuertes como árboles.
Se dice que son animales inteligentísimos y con muy
buena memoria (por eso se dice TENER MEMORIA
DE ELEFANTE). Los griegos llamaban a este animal *elephas*
(se lee «elefas»), y los romanos decían *elephantem*.
Numerosas palabras castellanas vienen del latín,
y ésta es una de ellas: de *elephantem*, elefante.

Envidia

Es la tristeza o pesar por el bien ajeno. Es el único
defecto que no hace daño a otros, sino al mismo
que lo comete. La envidia roe el alma: es el sufrimiento
que padecen algunas personas cuando ven
lo que poseen los demás.
La envidia se produce cuando se mira, cuando se ve
lo que otros tienen. La palabra viene de *in videre*
(es latín, significa «al ver», «al mirar»). Por eso,
de *invidia* se acabó diciendo envidia.

Escabeche

El escabeche es una forma de
preparar ciertos alimentos,
sean pescados o aves o venados.
Se cocinan con vinagre para mantenerlos durante varios
días. Esta forma de conservar algunos alimentos es muy
antigua: ya la conocían los árabes y la llamaban *iskebeg*.
Los catalanes y castellanos copiaron esta forma
de guardar los alimentos y también la palabra, designándola
escabetx los primeros y *escabeche* los segundos.

Escarabajo

Muchas personas piensan que este animalillo se llama
escarabajo porque camina «cara abajo». Pero esto sólo
es un chiste. Otros piensan que se denomina así porque
«escarban abajo», pero esto también es una broma.
Lo cierto es que los latinos lo llamaban *scarabaeus*
o *scarafaius*, de donde vino al castellano la voz *escarabajo*.

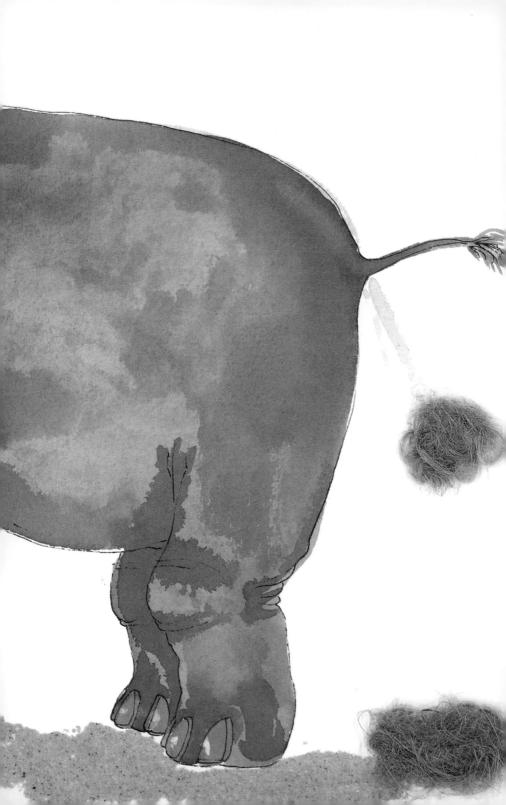

Escarlata

El color escarlata es un rojo muy vivo e intenso.
Tiene una larga historia: los antiguos romanos nobles,
los más poderosos, vestían una túnica con estampados
dorados. Se llamaba *textum sigillatum* (tejido estampado).
Cuando cayó el Imperio Romano, los nobles siguieron
vistiendo la *sigillata*, que solía teñirse de rojo o púrpura
si era para un rey o un príncipe. Los árabes conocieron
aquellas telas y las denominaron *siqillat*, y esta palabra
definía telas rojas o azules de seda. Con el tiempo,
la palabra cambió y se dijo *siqirlata*. Fue en el sur de
España donde aquellas sedas rojas fabricadas con tinte
carmesí comenzaron a nombrarse *isquirlatas*:
el color, finalmente, se llamó *escarlata*.

Escarola

La escarola es una especie de lechuga, con la hoja muy
rizada y sabor un poco amargo. Hasta el siglo XVIII
se llamaba escarola a la endivia (una hortaliza de color
blanco amarillento, bastante amarga). Los latinos
llamaban a la escarola *lactuca escariola* (la lechuga
escarola), y de esta forma, por acortamiento
y sucesivas modificaciones en la pronunciación,
quedó la definitiva voz *escarola*.

Esmeralda

La esmeralda es una piedra
preciosa de color verde, muy apreciada
en joyería. Es una piedra tan bella
que se ha utilizado incluso como
nombre de mujer. Su valor es muy
elevado y las más puras proceden
de Colombia. Los antiguos griegos decían *smaragdos*
y los romanos la denominaban *smaragdus*.
Cuando esta palabra pasó al castellano se llamó
esmeragda, esmerauda y, finalmente, *esmeralda*.

Espárrago

El espárrago es una planta comestible: crece silvestre
por el campo, pero actualmente también se cultiva.
Es el tallo de la planta conocida como *miacanta*.
Los griegos ya conocían el delicado sabor de los
espárragos y los llamaban con el nombre de *aspáragos*.
Pero con *aspáragos* también señalaban cualquier hierba
o brote. Los latinos tomaron esta voz griega y dijeron
asparagus, y de aquí viene la palabra castellana
espárrago. Dicen los entendidos que los mejores espárragos
están «entre los trigos»; son los espárragos trigueros.

Esqueleto

Los huesos del cuerpo humano forman el esqueleto.
Los antiguos griegos decían *skeletós* y con esta palabra
designaban a las momias o a los restos mortales
de una persona. Del griego pasó la palabra al castellano,
con la forma que conocemos actualmente: *esqueleto*.

En el cuerpo humano hay nada menos que 208 huesos, algunos tan diminutos como los que forman el oído y otros tan grandes como el fémur.

F Faisán

Los faisanes son aves muy apreciadas en la cocina, por su carne jugosa y sabrosa. En las antiguas cortes palaciegas, los príncipes y los reyes preferían la carne de faisán a cualquier otra. Los machos son elegantes y con plumaje de colores, pero las hembras son pardas y carecen de plumas hermosas. Lo mismo ocurre con los pavos reales. Se dice que los primeros faisanes se criaron

a las orillas del río Fasis y que fueron unos aventureros
llamados *argonautas* los que llevaron estas aves
a Grecia: como provenían del río Fasis, los llamaron
faisanós. Los latinos utilizaron la palabra *phasianus*
y los castellanos dijeron *faisano* y *faisán*.

Fontanero

Los fontaneros son los encargados de colocar y reparar
los conductos del agua y las instalaciones sanitarias
de las casas. Pero esto es bastante moderno.
Los antiguos fontaneros eran artistas que se ocupaban
de las fuentes, para que los chorros de agua fueran
bonitos y de diferentes alturas y formas.
Los romanos decían *fontem*, y de aquí los castellanos
trajeron la palabra *fuente*. Así como el que se ocupa
de la carne es el carnicero, el que hace el pan es el
panadero o el que vende libros es el librero, así el que
se encargaba de hacer las fuentes era el fontanero.

Frambuesa

Las frambuesas son unos frutos deliciosos, de color rosado o rojizo, que nacen en unas zarzas espinosas. Esta palabra es francesa: los galos decían *fraie* o *fraise* (fresa), pero a esta palabra se le unió otra muy antigua: *brabasi*, que significa «zarzamora». Como las frambuesas son como pequeñas fresas que nacen en zarzas, los franceses dijeron *framboise*, y de aquí la tomaron los castellanos, diciendo *frambuesa*.

Gabardina

La gabardina es una prenda de abrigo impermeable. Antiguamente no se utilizaba, pues los aldeanos usaban una capa llamada *tabardina* (que viene de *tabardo*, o capa castellana). En otras ocasiones utilizaban un *gabán* (del árabe *qabá*, una capa de caballero). Cuando nació la nueva prenda impermeable los castellanos mezclaron ambas palabras: *gabán* y *tabardina*, y de aquí nació la voz *gabardina*.

Galápago

Es una tortuga, aunque de tamaño más grande que una tortuga normal. Algunos galápagos son enormes y pueden transportar a una persona sobre su concha. También se dice que los habitantes de ciertas islas del océano Índico hacen barcas con sus caparazones. Hay muchos estudiosos que afirman que la palabra galápago la trajeron a España los árabes en el siglo VIII: los árabes llamaban a estos animales *qalapaq*,

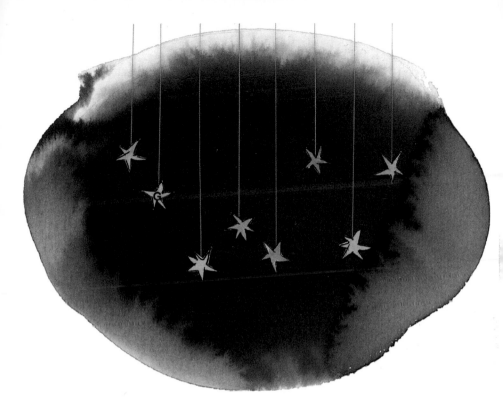

y los castellanos transformaron un poco el sonido
y dijeron *galápago*.

Galaxia

Las galaxias son los grupos de estrellas del universo.
Los griegos, cuando miraban al cielo, veían las estrellas
y pensaban que eran como gotitas de leche, por eso las
llamaban *galaxias* (lo que parece leche), porque leche
en griego es *galactos*. El grupo de estrellas más visible
desde la tierra es nuestra propia galaxia, llamada
precisamente la Vía Láctea: el camino de la leche
(en latín *lacte* era leche). También se llama
Camino de Santiago, porque los franceses,
alemanes e italianos siguen su curso para llegar
a Santiago de Compostela, en Galicia.

Garabato

Los garabatos son rayas o dibujos mal hechos, como
los que hacen los niños que aún no saben escribir.
Pero los garabatos eran antiguamente unos ganchos
que se utilizaban en Asturias para colgar objetos.
Tenían forma de G, como garabato, retorcido.
También se llamaban garabatos a ciertos palos,
con la punta retorcida, que servían para coger la fruta
de algunos árboles. Como los garabatos eran retorcidos,
se pensó que esos dibujos de los niños se parecían
a los garabatos, y se les dio el mismo nombre.

Garbanzo

El garbanzo es una legumbre sustanciosa y de gran
alimento. Es pequeño, redondo, amarillo y muy duro,
y necesita estar bastante tiempo en la olla para poderlo
comer. Los estudiosos no saben, a ciencia cierta,
de dónde viene esta palabra. Algunos piensan que procede
del griego erebinthos (garbanzo), pero otros creen que esta
palabra es antiquísima y que no viene ni del latín ni
del griego, sino de otras lenguas desconocidas.

Garrapata

La garrapata es un bicho que se clava en la piel
de los animales (y alguna vez en la de las personas)
para chuparles la sangre. Algunos piensan que tiene ese
nombre porque el animal se «agarra a las patas» de los
animales. Sin embargo, según los sabios que estudian
las palabras, garrapata viene de caparra, que es una
especie de zarza cuyas espinas se quedan prendidas
en la ropa. Pese a su pequeñísimo tamaño son muy
peligrosas, pues son capaces de transmitir numerosas
enfermedades tanto al hombre como al ganado.
Pueden permanecer más de un año sin comer,
pero cuando consiguen una víctima multiplican
su peso por 10 en apenas unos minutos.

Golondrina

Actualmente las golondrinas son unos pájaros muy
queridos, porque anuncian la primavera; pero antiguamente
se las despreciaba: eran el símbolo del huésped inoportuno,
que viene y va cuando le conviene, molestando siempre.

Decía Pitágoras: «No tengas golondrinas bajo tu techo».
Además, los excrementos de una golondrina dejaron ciego
a Tobías y, en castigo, Dios hizo que todos los pollos
de golondrina nacieran ciegos. Los latinos conocían
a este pájaro como *hirundinem*, aunque muy pronto
comenzaron a llamarlo sólo *olondre*. Los castellanos
dijeron *golondre*, pero como eran pequeños acabaron
por denominarlos *golondrinas*.

Grillo

Es un insecto campestre muy cantarín. Al caer la tarde
hace un ruido muy particular frotando las dos patas
traseras. Los romanos conocían bien a los grillos,
y ya en su lengua se llamaban *grillus*, tal vez por
el ruido que hacen: *gri-gri-gri*...

Guillotina

Era una máquina de ajusticiar que consistía en un armazón de madera en el cual se disponía una cuchilla muy afilada en lo alto; se colocaba a una persona abajo y, dejando caer la cuchilla, se le cortaba la cabeza. Durante la Revolución francesa, en los últimos años del siglo XVIII, se utilizó con frecuencia. La mayoría de la gente cree que fue el francés Joseph Ignace Guillotin quien inventó este artilugio y que por eso la máquina tiene su nombre. Pero esto no es cierto. La guillotina se desarrolló mucho antes, y fue un médico, llamado Louis, quien la perfeccionó. Por eso se llamó durante algún tiempo *luisette* o *luisón*, pero finalmente tomó el apellido de *monsieur* Guillotin. ¿Por qué? Porque Guillotin creía que todos los criminales debían ser ejecutados del mismo modo. Antes de la guillotina, a los nobles se les cortaba la cabeza con una espada o un hacha; a los pobres simplemente se les ahorcaba. Se dice que *monsieur* Guillotin murió muy triste, al ver que su nombre se le daba a una máquina de matar.

Guirnalda

Una guirnalda es una corona abierta hecha con plantas y flores. En la antiguedad, a los grandes poetas y a los mejores deportistas les colocaban guirnaldas de flores en la cabeza. También se utilizaban en las fiestas y en los banquetes. La palabra procede de las antiguas lenguas bárbaras de Francia y Alemania: tenían el nombre de *warnjanda*; otros estudiosos piensan que procede del francés *garnande*, que significaba «adorno y protección».

Guisante

Los guisantes que nosotros comemos son unas semillas
pequeñas, verdes y redondas, de sabor muy agradable,
ya sean crudos o guisados. Están juntos en vainas,
colgando de una mata. Los latinos llamaban a esta
planta *pisum sapidum* y sólo los aragoneses lo cambiaron
en *pinsapidem, binsante* y *guisante*. Pero en el resto de
España se llamaba *arveja* o *almorta*. Pasó mucho tiempo

hasta que el nombre fue utilizado por el resto de los españoles y, cuando lo conocieron, rápidamente la incorporaron a su vocabulario. En algunas regiones, como Andalucía, también se les denomina chicharros.

Gusano

Se conoce como gusano a cualquier animal invertebrado que se arrastre o que tenga las patas tan pequeñas que parezca que se arrastra. Los niños llaman *cuca* o *cuco* o *coco* a todos los bichos pequeños, como el gusano; y tal vez de la palabra latina *cucanum* pudo nacer el *gusano*.

Hada

Es una maga protectora y buena. Son seres fantásticos con forma de mujer, que ayudan a quienes se pierden en los bosques, y se sabe que muchas veces cumplen los deseos de los niños. La palabra viene de muy antiguo, cuando las magas y las brujas de Grecia y Roma averiguaban el destino de los reyes y de los soldados. El destino se llamaba *fatum* (hado). Las mujeres mágicas o los espíritus buenos eran *hadadas* y después se dijo sólo *hadas*. Sin embargo, en las leyendas españolas las hadas ya no predecían el futuro, sino que convertían a los malvados en carneros y a los hombres buenos les entregaban piedras de oro y preciosos talismanes.

Hipopótamo

Los antiguos griegos fueron grandes navegantes. Con sus barcos remontaron el curso del río Nilo y llegaron

a un lugar donde había unos animales similares a los
caballos, pero muy gordos, que chapoteaban en el río.
Los griegos pensaron: «¡Éstos son caballos de río!»,
y les pusieron el nombre correspondiente: hippos
significaba en su lengua «caballo» y «río» era *potamos*;
de modo que los caballos de río eran *hippopotamos*.
Ahora ya sabemos que los hipopótamos no son caballos,
sino unos animales bien diferentes, grandes, gordos y con
una boca enorme. Pese a su aspecto bonachón, son unos
animales muy peligrosos y al cabo del año mueren
en África más personas por los ataques de los
hipopótamos que devoradas por los cocodrilos.

Horchata

La horchata es una bebida refrescante elaborada
normalmente con chufas, aunque una receta del siglo XVIII
decía que la horchata se hacía con pepitas de melón
y calabaza machacadas, con algunas almendras y agua

con azúcar. Esta bebida era, antiguamente, muy conocida en Italia y, por el Mediterráneo, llegó a Valencia, donde es muy popular. Los italianos la llamaban *orziata* u *orciata*. En castellano se escribe con h porque la palabra italiana procede de *hordeata*, ya que la primitiva bebida se hacía con cebada (*hordeum*, en latín).

Horóscopo

El horóscopo es la predicción del futuro que se hace observando los movimientos de las estrellas y los planetas. Ya desde la antigua Babilonia, la Astrología era una ciencia importante, y entre los egipcios, los árabes y los judíos también había astrólogos. La palabra *horóscopo* es de origen griego:

mirar era en griego *skopeo*. Quienes observaban las horas (los movimientos de los planetas) eran los astrólogos y su trabajo tenía una palabra: *horoskopeo*.

Según la leyenda, el horóscopo determina nuestro carácter y nuestro futuro, pero no hay base científica que sostenga esta historia.

Huracán

Un huracán es un fenómeno meteorológico muy violento, con fuertes vientos, lluvias y tormentas. Los grandes huracanes se producen en la costa de México, y fue allí donde se inventó esta palabra. Los mayas tenían varios dioses, aunque finalmente todos acabaron siendo Quetzalcoatl (llamado también Kukulkán). Uno de los espíritus más violentos de su religión era «el dios de una sola pierna», al que llamaban Hun—r—akan. También tenían un genio maléfico al que denominaban Iroucán.

Tal vez ambos espíritus se unieron; el caso es que los mayas pensaban que estos dioses provocaban las grandes tormentas y le daban el nombre de Hunrakán o Iroucán, *de donde procede la palabra española huracán.*

Idiota

En la actualidad idiota es un insulto, y se lo aplicamos a quien consideramos tonto, bobo o estúpido. Pero esta palabra tiene una historia curiosa. Los romanos llamaban *idiotes* a quienes no conocían el latín, porque *idios* era en griego «lo particular, lo de cada uno»: un *idiota* era el que sólo sabía su lengua y desconocía otras. *Idiota* fue pues, en un principio, el que no sabía lenguas, después el que no sabía un oficio, después el que no sabía nada y, finalmente, idiota es en la actualidad el que carece de inteligencia.

Jabalí

El jabalí es un marrano silvestre, con pelo duro y grandes colmillos. Son animales muy fieros y más vale huir de su presencia. Antiguamente se le llamaba «puerco montés». Los árabes lo conocían como hinzir gabali (cerdo del monte), pero incluso los mismos árabes sólo utilizaban gabali para designarlo. De esta lengua procede, por tanto, nuestro jabalí.

Jazmín

El jazmín es una flor pequeña, blanca, olorosa y muy
delicada, que abunda en los jardines de las ciudades
andaluzas y del Levante español. Los primeros jazmines
los plantaron los árabes en Valencia, y este pueblo
utilizaba la palabra yasamín para designarlo.
Los castellanos copiaron el vocablo y decían jazemín,
de donde nació el moderno jazmín. Su penetrante aroma
se nota sobre todo de noche y su esencia se ha utilizado
con gran éxito en la elaboración de perfumes.

Jeroglífico

Los jeroglíficos eran los signos y símbolos de las antiguas
culturas mediterráneas. Son muy famosos los jeroglíficos

de Egipto: los dibujaban en los templos y en las tumbas, y pintaban ojos, búhos, cabezas de águila, escarabajos, bastones, y cada objeto significaba una sílaba o una palabra. Cuando los griegos conocieron esta escritura, la llamaron *ieroglyphikós*, que significa «la escritura sagrada», pues los egipcios sólo escribían en lugares sagrados. La palabra *ieros* era «sagrado», y *glyphé* era «grabado o escritura». De *ieroglyphikós* viene al castellano la voz *jeroglífico*.

Laberinto

Un laberinto es una construcción en piedra o con setos en la que hay infinidad de caminos que confunden al que está dentro, y resulta muy difícil salir de él. El primer laberinto lo construyó Dédalo (un dédalo es también un laberinto) en Creta, para el rey Minos y en su interior se guardaba el Minotauro, un monstruo con cabeza de toro y cuerpo de hombre que devoraba a quien entrase en su guarida. De la voz griega *labyrinthos* procede la palabra castellana *laberinto*.

Laurel

En la antigüedad era una planta sagrada. Se hacían
guirnaldas de laurel para coronar a los grandes poetas
y a los mejores atletas. Cuentan los libros que el dios
Apolo estaba enamorado de la ninfa Daphne.
Cierto día, Apolo la persiguió por el bosque y la joven
ninfa, que no quería amores con él, pidió auxilio a los
dioses para que la salvaran. Los dioses lo hicieron,
pero de una forma un tanto cruel, pues convirtieron
a la pobre Daphne en el árbol del laurel. Apolo llegó junto
a ella y, entristecido, comenzó a llorar y cuanto más
lloraba el joven Apolo, más le crecían las ramas al árbol.
En Grecia, el laurel se llama *daphne*. En Roma se le
conocía como *laurus*, de donde viene la palabra española
laurel. En la actualidad, a algunos deportistas también
les dan una corona de laurel si vencen en sus
competiciones pero su empleo fundamental está
en la cocina, para dar sabor a ciertos guisos.

Lechuga

La lechuga es una hortaliza muy fresca, de hojas largas
y verdes, propia para ensaladas. Las hay de muchas
variedades. Los latinos la llamaban *lactuca*, porque
algunas lechugas, cuando se cortan sus tallos,
dejan salir una especie de líquido que se parece a la leche.
Leche en latín es *lactem* y de aquí, *lactuca*. De la palabra
lactuca viene a nuestra lengua la voz *lechuga*.
Los antiguos la consideraban también una planta
medicinal, y decían que tomada por la noche
favorecía el sueño.

Lenteja

La lenteja es una legumbre bastante sabrosa y con mucho alimento. Son pequeñas, de color pardo, y crecen en vainas, en una planta de matorral. Las lentejas son el símbolo de la pobreza y durante siglos han sido alimento principal de los campesinos: en la olla añadían chorizo, oreja de cerdo y jamón. La palabra *lenteja* procede del latín *lentis*, pero, como eran tan pequeñas, las llamaron *lenticulas* o, lo que es lo mismo, lentejuelas.

Leotardo

Hace ciento cincuenta años hubo en Francia un acróbata famoso. Hacía piruetas y equilibrios prodigiosos y actuó en el Palacio de Invierno de París y en otros escenarios importantes. De aquel acróbata llamaba la atención su indumentaria: llevaba unas mallas que le cubrían todo el cuerpo, gruesas y elásticas. El equilibrista se llamaba Jules Léotard y los franceses llamaron *léotard* a los pantalones o mallas ajustadas. Del nombre de aquel artista de circo viene pues la palabra *leotardo*.

Libélula

Las libélulas son insectos de hermosos colores, alargados y con alas estrechas y grandes. Viven en las charcas y en las orillas de los ríos. También su nombre es hermoso; procede de una comparación curiosa.
Las libélulas, si nos fijamos bien, siempre permanecen como una varita recta y nunca se inclinan hacia adelante ni hacia atrás. Por eso en latín se llaman *libella* (nivel, regla, vara recta); el diminutivo es *libellula*.

Loco

Es una persona que ha perdido el juicio; es un enfermo
que no sabe lo que dice ni lo que hace. Pero ¿por qué
llamamos locos a los que han perdido el conocimiento?
Según algunos especialistas en palabras (etimologistas),
la voz *loco* procede del árabe, donde la palabra *alwaq*
significaba «tonto o loco». Otros estudiosos dicen que *loco*
procede del nombre de un héroe griego, llamado Glauco,
al que el dios Zeus castigó volviéndolo loco:
de Glauco, *lauco* y *loco*.

Lombriz

Es una especie de gusano que vive en las tierras húmedas.
Algunos pescadores la utilizan como cebo para pescar.
Los romanos ya conocían estos bichos y los llamaban

lumbricus (que significa «lombriz de tierra, gusano»).
En castellano se dijo *lumbrix*, y después *lombriz*.
Es una de las palabras más antiguas en nuestra lengua,
pues ya aparece escrita en textos de hace
setecientos años.

Loro

Los loros son aves tropicales. Los hay de muchos colores,
aunque la mayoría son verdes. Poseen la facultad de
repetir las palabras humanas por imitación, pero no tienen
conocimiento para saber lo que dicen. Seguramente
fueron los españoles que viajaron a América los que
trajeron esta palabra. Los indios quichuas llamaban
a este animal *uritu,* y es posible que los españoles
lo llamaran *el urito* y, después, *el lorito.* Otras tribus lo
llamaban *roro,* y tal vez los españoles entendieran *loro.*
Con sus vistosas plumas, los indios amazónicos hacen
preciosos penachos y collares con que adornarse.

Lotería

La lotería es un juego de azar. Hay diversas modalidades
pero, en general, se trata de escoger uno o varios
números y apostar que, de todos los números posibles,
el que hemos escogido será el que obtenga el premio.
La lotería era antiguamente una especie de rifa, donde
se repartían lotes o partes de una ganancia. Al parecer,
la palabra *lotería* es de origen alemán o francés: *hlauts,
hlot* o *lot*; de alguna de estas voces, o de la unión de
todas se formó en castellano *lote*, y después *lotería*.

Luciérnaga

Las luciérnagas son insectos muy peculiares: se iluminan
durante la noche y parecen pequeñas bombillas
que vuelan. Los romanos la llamaban *noctiluca*
(«el gusano que luce de noche»). Pero la lengua castellana
no trajo la palabra *luciérnaga* de la forma latina, sino de
lucerna, que significa «candil, lámpara, candela».
De *lucerna* salió *lucierna* y finalmente derivó hasta ser
luciérnaga. En gallego se llama *lucencú*, que significa «luz
en culo», porque es la parte trasera de estos gusanillos
la que se ilumina.

Lunar

Si observamos la luna detenidamente, comprobaremos
que unas veces está llena, otras le falta un pedazo a
la derecha y otras veces anda escasa por la izquierda.
La luna es caprichosa, y los lunares también, porque
aparecen donde menos los espera uno. Los antiguos
creían que los lunares de las personas son como las

manchas de la luna, y que por esta
razón tenían ese nombre.
Sea cual fuere la razón original, lo cierto
es que la palabra *lunar* proviene de *Luna,* el nombre
del satélite de la Tierra.

Macarrón

Los macarrones son un plato delicioso: son una especie
de canutillos hechos de pasta de harina y huevo.
Hay quienes piensan que la palabra macarrón procede
del griego *makaria* (una salsa con pasta de cebada).
Otros opinan que viene del verbo italiano *maccare,*
que significa «amasar», y que de aquí procede la palabra
italiana *maccarone.* Por el contrario, no falta quien
asegura que los macarrones se inventaron en la isla

de Makaros (hoy Creta). Sea como fuere, el caso es que los *macarrones* españoles vinieron de los *maccheroni* italianos y son los italianos los que tienen la fama de preparar con más gusto este delicioso plato.

Macedonia

La macedonia es un postre hecho con diversas frutas cortadas en pequeños trocitos. El nombre de este postre procede del nombre de un país, Macedonia, al norte de Grecia. Allí, en Macedonia, nació uno de los grandes conquistadores de la historia: Alejandro Magno.

Su imperio se extendió hasta la India, los desiertos de Arabia, Babilonia, Egipto, Capadocia, etc. Macedonia era, por tanto, un reino enorme, con numerosas lenguas y culturas. Por esta razón, todos los platos que están compuestos de muchos ingredientes distintos se llaman macedonias.

Malabarismo

En las costas de la India hay un territorio llamado Malabar. Los habitantes de estas tierras se llaman malabares. Antiguamente eran especialistas en los trabajos con

elefantes, pero también eran equilibristas y hacían fiestas sorprendentes, con juegos de habilidad que asombraban a los marineros. Los primeros en descubrirlos fueron los portugueses, y éstos los trajeron a Europa y junto a estos extraordinarios artistas llegó la palabra malabarista.

Mantequilla

La nata o la grasa de la leche de vaca se llamó siempre manteca. Esta palabra se inventó en Hispania y sus orígenes se pierden en la noche de los tiempos.
Nadie sabe, a ciencia cierta, cuál fue el principio de esta palabra. A lo largo de la historia se han utilizado diversas formas, como *mandeca* o *mantega*, en catalán, y aparece también en otras lenguas, como el gallego, el portugués, el leonés o la fabla aragonesa. En la actualidad la manteca de la leche se llama *mantequilla*, para diferenciarla de la *manteca de cerdo*: las grasas que antaño se utilizaban en vez del aceite.

Maratón

La siguiente historia ocurrió quinientos años antes del nacimiento de Jesucristo. Los griegos estaban en guerra con el rey de Persia, llamado Darío el Grande. Darío, con sus naves, estaba a punto de invadir Grecia y el general Milcíades le salió al encuentro. Tuvo lugar una cruel y sangrienta batalla. Sin embargo, nadie parecía resultar vencedor. Milcíades llamó a un soldado, de nombre Filípides, y le dijo que volviera a Atenas a pedir ayuda. Filípides corrió tanto como pudo: Atenas estaba a 42 kilómetros del lugar de la batalla. Cuando llegó, entregó el mensaje y murió por el esfuerzo. Aquella batalla la ganaron los griegos y mataron a más de seis mil enemigos. Ocurrió en la llanura de Marathón y en honor a aquel soldado, las naciones modernas celebran una carrera de 42 kilómetros que tiene el mismo nombre: *maratón*.

Margarita

Es el nombre de una sencilla flor silvestre, con pétalos blancos y el corazón amarillo. Antiguamente se llamaban margaritas a las perlas, pues en griego *margarites* es «perla». El centro amarillo y brillante de las flores rodeado de pétalos blancos fue la causa de que acabaran por llamarse *margaritas*, pues a nuestros antepasados les recordaban a la labor de joyería mediante la cual se engastaban las perlas en torno a un anillo o en un pendiente de oro.

Mariposa

Según los estudiosos, esta palabra la inventaron los niños. Los más pequeños jugaban en el campo y veían esos bichitos con alas de colores revolotear entre las hierbas y las flores: cantaban entonces una canción que decía: «Mari, ¡pósate!». De esta canción vino la costumbre de llamar a esos insectos *mariposas*.

Mazapán

Los mazapanes son pastelillos de almendras; suelen comerse en las fiestas navideñas. Hace ochocientos años, en un país remoto, más allá de Egipto, había un pueblo que utilizaba unas monedas llamadas *marzapanus* y que los árabes llamaban *mautabán*. Mautabán significa

«el rey sentado», porque en aquellas monedas aparecía Jesucristo sentado en el trono. También es probable que el nombre venga de los pastelillos llamados *marzapane*, típicos de la isla de Chipre, que los comerciantes italianos compraban y vendían. De todos modos, los españoles siempre piensan que mazapán tiene su origen en las palabras *masa de pan*: mazapán.

Melocotón

El melocotón es una de las frutas más sabrosas del mercado. Parece un sol anaranjado, con la piel de terciopelo. Los romanos llamaban *malum casi* a cualquier fruta, especialmente a las manzanas, y utilizaban la palabra *cotonium* para definir al membrillo. En España había una fruta entre la manzana y el membrillo, así que los latinos lo llamaron *malum cotonum*, que dio más adelante *malocotón* y *melocotón*. Pero este melocotón no era el melocotón actual; el que hoy comemos en la mesa es de origen chino, y llegó mucho después a Europa.

Membrillo

Es una fruta olorosa de color amarillo o naranja. Con ella se hace el dulce de membrillo, que se sirve en la mesa con queso, y es un postre delicioso. Como ya se ha dicho, los griegos llamaban a las manzanas *melon*. Y para la miel utilizaban la voz *meli*. Los griegos decían que el membrillo era «la manzana de la miel», y llamaron a ese fruto con la palabra *melímelon*. Los romanos copiaron esta palabra y dijeron *melimelum*. Cuando el latín se fue transformando en castellano nació la voz *membrillo*.

Meñique

Es el nombre de los dedos pequeños de las manos y de los pies. El dedo gordo se llama pulgar, y después vienen el índice (con el que se señala o se indica), el corazón (que está en el centro) y el anular (porque en él se colocan los anillos). Los padres, cuando juegan con los niños pequeños, hablan del dedo meñique como si fuese un niño: en Portugal a los niños se les llama menino o meniño, y de esta costumbre de comparar al dedo pequeño con los meninos procede el nombre de meñique.

Merienda

Algunos estudiosos aseguran que la merenda (en latín, cosa merecida) era la comida que se entregaba a los criados cuando acababan de trabajar. Otros piensan que la palabra merienda deriva del nombre que se daba a los mendigos (merendarius) en la antigua Roma: como no tenían qué comer, algunas personas caritativas les daban algún alimento. Otros, en fin, creen que se dice merienda porque los romanos comían alguna pieza de fruta a la hora del mediodía (hora meridiana), y que de meridiana habría venido al castellano merienda.

Monaguillo

Los monaguillos eran los niños abandonados en los conventos. Como no eran aún monjes debido a su corta edad, se les llamaba monacillos, monaquillos o monaguillos. A veces los monjes se burlaban de los monaguillos, y los llamaban monigotes. La palabra monje procede del griego monos, monakos, «uno, solitario», porque muchos monjes vivían solos, dedicados a la oración y la penitencia.

Monstruo

Es un ser fantástico que causa espanto. También se
emplea esta palabra para designar a una persona muy
cruel y perversa. Los latinos la usaban para nombrar
a los seres fantásticos que poblaban cuevas y laberintos.
Su origen es *monstrum* y de esta voz, sin apenas
transformación, surgió el castellano monstruo.
Como los monstruos mitológicos eran seres muy feos
y crueles, esta palabra terminó por utilizarse para las
personas a las que la naturaleza no había concedido
sus dones. Y, con posterioridad, también se utilizó
para designar a la gente cruel e inhumana.

Muñeca

Esta palabra es de origen pre-romano, como moño o muñón. Tiene múltiples significados, pues se utiliza tanto para designar la parte del brazo donde se articula la mano, como una figurilla de niña o mujer que sirve de juguete, o incluso un manojo de trapos redondeado que, empapado en un líquido, sirve para extenderlo.

Muralla

Es el muro de piedra, madera o tierra que rodea una ciudad o territorio para protegerlo. La voz procede del italiano *muraglia*. Muy probablemente esta palabra la trajeron a nuestro país los tercios que lucharon en Italia, zona en que los estrategas militares eran auténticos expertos en la construcción de este tipo de edificios.

Murciélago

Es una de las palabras más extrañas del diccionario y, si se mira bien, se verá que en ella aparecen las cinco vocales del alfabeto. El murciélago no es un pájaro, sino un mamífero nocturno, parecido a un ratón, que puede volar gracias a las membranas que unen sus larguísimos dedos. Es casi ciego y se orienta con sus chillidos, casi inaudibles para el ser humano, pero que él capta con sus especiales orejas igual que si fuese un radar. Los latinos los llamaban *vespertilios*, porque salen por la tarde. Cuando se averiguó que este animal era ciego, se le llamó mur ciego (ratón ciego). De *mur ciego* se pasó a *murceguillo* (en diminutivo); pero también se dijo *murciégalo*. *Murciégalo* y *murciélago* se fueron confundiendo, y al final quedó *murciélago*.

Musaraña

La musaraña es un diminuto mamífero, parecido al ratón,
pero con el hocico más afilado. Antiguamente se creía
que era venenoso. En castellano se empleó *musaraña*
para señalar casi cualquier animalillo pequeño;
y también se llaman musarañas las chispas y nubecillas
que aparecen en la visión algunas veces. Los latinos
llamaban a este animal *mus araneus* (el ratón-araña,
o el ratón de las arañas, y de aquí proviene el nombre.

Naranja

La naranja es uno de los frutos más sabrosos que
puedan encontrarse: son como un sol, más que amarillos
y menos que rojos. Estos frutos, que hoy se cultivan
en el Levante español, fueron traídos por los árabes hace
más de mil doscientos años. Venían de Asia, de China
y de Persia. Los árabes utilizaban la palabra *naranga*,
y los castellanos dijeron *naranja*.

Ñandú

El ñandú es una especie de ave, pero no vuela, aunque
es una gran corredora. Se parece un poco al avestruz.
Los indios guaranís llamaban a ese animal en su lengua,
ñandú, y los españoles que vieron estas aves en América
utilizaron el mismo nombre. Los indios usaban unas
cuerdas con bolas en sus extremos para cazarlas:
se llaman *ñanduseras*.

O

Obelisco

Los obeliscos son grandes monumentos de piedra, muy altos, de una sola pieza, y van estrechándose hasta acabar en punta. Un escritor latino, Plinio, aseguraba que los inventores de los obeliscos fueron los egipcios. Éstos comenzaron a levantar obeliscos en honor a su dios del sol, pues los obeliscos eran como rayos de sol construidos en piedra. Los griegos también conocieron estos monumentos y tomaron de la lengua egipcia esta palabra, llamándolos *obeliskós*, de donde procede la palabra española.

Ombligo

El ombligo es una cicatriz que todos tenemos en la barriga. Esa especie de nudo es un resto del conducto por el que nos alimentábamos cuando estábamos en el seno materno. Cuando nuestras madres nos trajeron al mundo, hubo que cortar ese conducto y hacer un pequeño nudo. Los latinos lo llamaban *umbilicus*; después se dijo *umblico*, y más tarde *ombligo*. La palabra latina *umbilicus* significaba también «el centro», y eran los botones que estaban en los extremos del cilindro en el que se enrollaban los manuscritos (en aquella época no había libros, sino rollos de papel en los que se escribía).

Orangután

Los orangutanes son simios de Asia; viven en las selvas de Sumatra y Borneo, su pelo es rojizo, tienen una mirada muy inteligente e imitan a la perfección los trabajos de las personas. Los malayos lo llaman «el hombre salvaje»,

que en su lengua se dice *orang hutan.*
De estas dos palabras se formó una sola
en francés, inglés y holandés, y después
pasó al castellano como orangután.

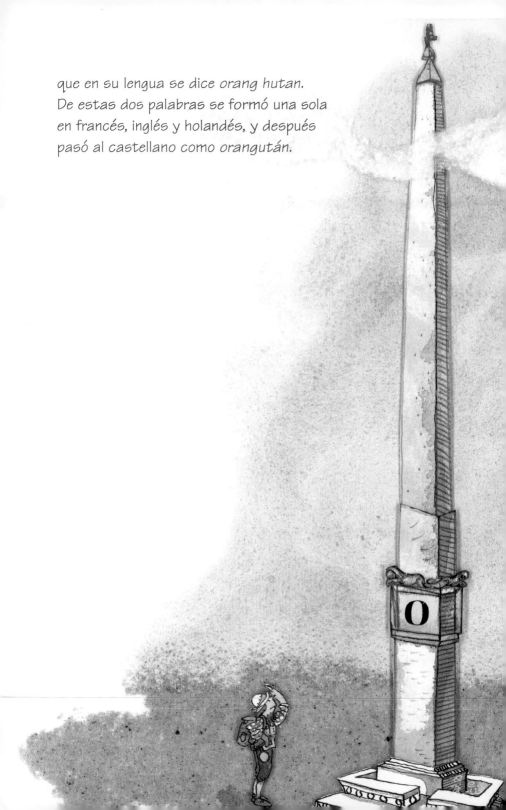

Orinal

El orinal es una pequeña vasija que se utilizaba
antiguamente para orinar durante la noche. Los romanos
creían que la orina (*urina*, decían ellos) era el agua mala
de la sangre; este líquido iba a los riñones, y después
a la vejiga, y contenía un líquido llamado cólera, que es
el que producía ese color amarillo que tiene. En castellano
se utilizó *urina* y *orina*, y de la primera palabra nació
urinario (es el lugar donde se orina), pero esta palabra
es antigua y actualmente se utilizan otras.

Orquesta

Los griegos y los romanos eran muy aficionados al teatro
y construyeron magníficos coliseos donde se hacían
representaciones. Entre el público y el escenario, había un
emplazamiento especial para los nobles, los reyes y los
magistrados. Este sitio comenzó a utilizarse pronto para
situar a los músicos y a los bailarines. Este lugar se
llamaba *orchestra*. Puesto que los músicos se situaban
allí, al conjunto o banda musical de los teatros se les
comenzó a llamar con el mismo nombre: *orquesta*.

Oveja

La oveja es la hembra del carnero. Siempre fue la oveja
un animal muy apreciado: de ella se obtenía la lana,
la leche y los corderos que sirven de alimento. La palabra
oveja viene del latín *ovis* (de su diminutivo *ovicula*).
Por eso las ovejas pertenecen al *ganado ovino*.
La vaca se llamaba en Roma *bovis*, y por eso las vacas,
los toros, los bueyes, etc., forman el *ganado bovino*.

Paella

En la actualidad llamamos paella a una comida de arroz,
pollo, conejo y verduras (aunque a veces se hace con
marisco). Sin embargo, la paella (*patella* en latín) era una
especie de plato o sartén. Los castellanos dijeron *paila*,
y los valencianos *paella*. En esa sartén hacían los
valencianos su arroz y los castellanos entendieron que la
paella era el nombre de la comida, pero no es así, para los
valencianos la paella es sólo la sartén o el recipiente
donde se guisa ese plato.

Pamela

A mediados del siglo XVIII se publicó una novela,
Pamela Andrews o la virtud recompensada, que tuvo
gran éxito. Su autor se llamaba Samuel Richardson.
La novela contaba la historia de una señorita,
llamada Pamela, que vivía en la campiña inglesa.
Esta dama solía llevar un sombrero de paja para cubrirse
del sol y que éste no le dañase el rostro. Aquellos sombreros
se pusieron de moda, y en toda Europa se llamaron *pamelas*,
como la dama de la novela que los hizo populares.

Papagayo

Aunque los auténticos papagayos son americanos, había
algunas especies parecidas en África y los árabes conocían
estos animales. Ya en el siglo XIII, antes de descubrirse
el Nuevo Continente, aparecen en los libros españoles las
palabras *papagay* y *papagal.* Estas palabras las trajeron
los árabes, que llamaban a estos pájaros con el nombre
de *babbagá* (loro o papagayo). Algunos autores antiguos

dicen que estos animales se llaman papagayos porque tienen el *papo gayo* (el cuello con colores alegres; *gayo* es «alegre, divertido, de colores»).

Paraíso

Llamamos paraíso a cualquier lugar encantador, con clima agradable, con árboles y con un paisaje precioso, donde se podría vivir con toda comodidad. El Paraíso, con mayúscula, es el Edén, el lugar donde vivieron Adán y Eva antes de ser expulsados por desobedecer a Dios.
Los antiguos creían que el Paraíso era un precioso jardín situado entre dos ríos de Babilonia y hubo exploradores que fueron a buscarlo. En griego se llamaba *paradeisos*, y entre los romanos era *paradisus*, de donde vino al diccionario español la voz *paraíso*.

Pato

El nombre de este animal tiene un origen onomatopéyico (se llama igual que los sonidos que emite). En la actualidad decimos que los patos hacen *cuá-cuá*; pero esta versión es moderna. Los antiguos decían que los patos hacían *pat-pat*, y de estos sonidos nació la palabra *pato*.
En casi todas las lenguas, el pato se llama de forma parecida: en algunos lugares se llama *pat*, en otros *patka*, en otros *pata*, en otros *pate*, etc.

Payaso

En Italia, en el siglo XVIII, había unos farsantes y comediantes que hinchaban sus trajes de colores con paja, para hacer reír al público. Los italianos llamaban

a este comediante *pagliaccio* (porque paja es en italiano *paglia*). Cuando este divertimento se puso de moda en Francia, las gentes dijeron *paillasse* (porque paja en francés es *paille*). De la palabra francesa *paillasse* nació el vocablo español *payaso*.

Pelícano

El pelícano es un ave acuática; suelen ser de color blanco y en su gran pico tienen un buche donde guardan los peces que capturan en sus zambullidas en el mar. Algunos estudiosos piensan que se llama pelícano porque tiene el pelo blanco (cano); pero no es así. Los pelícanos apenas se conocían hasta el siglo XVIII y de ellos se contaban historias fantásticas. A veces se confundían con la garza o el cormorán. El nombre del pájaro (o tal vez el nombre de distintos pájaros acuáticos) era *pelekán* en griego y *pelicanus* en latín. De aquí proviene el *pelícano* castellano.

Pepino

El pepino es un fruto de huerta, alargado, de color verde por fuera y blanquecino por dentro, con pepitas blancas. A veces se come en ensalada. Durante los primeros tiempos del idioma castellano el melón se llamaba *pepón* (ya en griego se llamaba así). Como este fruto alargado y verde era un poco parecido al melón, pero más pequeño, se le llamó *pepino*, y así se quedó. Después, el *pepón* cambió de nombre y se dijo *melón*.

Perejil

Es una hierba verde, de hojas pequeñas y rizadas, que se emplea como condimento en los guisos y las ensaladas.

Hay quien piensa que esta palabra es la mezcla de Pérez y Gil, dos apellidos muy comunes en España, pero no es cierto: en griego esta planta se llamaba *selinon*, y los romanos, viendo que se criaba mejor entre piedras la llamaron *petro-selinum*. Esta palabra tan larga se convirtió en los primeros siglos del castellano en *petrisil*, de donde poco a poco fue naciendo *perrexil* y, más tarde *perejil*: el perejil que crece entre las piedras.

Pimiento

Los pimientos se comenzaron a utilizar como alimento muy tarde, hace tan sólo trescientos años o un poco más. Anteriormente, los pimientos rojos, una vez secos,

89

se machacaban para extraer la pimienta roja.
Este colorante se llamaba *pigmentum* en latín (pigmento,
colorante). La palabra *pimiento* se utilizó sólo para
nombrar la mata de la *pimienta* y, mucho después,
para nombrar la variedad de mata de huerto y el fruto
que hoy se conoce como *pimiento*.

Pingüino

Los pinguinos son aves acuáticas; no pueden volar, pero
nadan muy bien y son grandes pescadores. Caminan
torpemente, pero son muy elegantes porque, gracias a su
plumaje blanco y negro, parece que llevan frac. La palabra
pingüino es muy moderna en nuestro diccionario;
tal vez la trajeron a Europa los exploradores ingleses
o franceses. No se sabe a ciencia cierta de dónde procede
este vocablo. Algunos dicen que esta palabra debe
su origen a las voces galesas *pen gwyn* (cabeza blanca);

pero esto es raro, ya que los pingüinos no tienen
la cabeza blanca, sino negra. Otros estudiosos dicen
que se llamaron *pingüinos* porque son gordos y poseen
mucha grasa para protegerse del frío (*pinguis* en latín
es lo mismo que gordo o con grasa).

Piojo

Es un insecto saltarín, que anida entre el pelo de los
animales y, algunas veces, en las cabezas de las personas
poco aseadas. Los romanos, cuando los examinaron de
cerca, vieron que tenían muchos piececillos y los llamaron
pediculus (*pedem* en latín es «pie»). Después se llamaron
peduculus (el animal de muchos pies pequeños); con el
tiempo se dijo *peuclo* y *piollo*, hasta resultar finalmente
piojo.

Pitonisa

Las pitonisas eran las adivinas y las magas de la
Antigüedad. Vivían en los templos de los dioses griegos
y romanos. El templo más importante era el de Delfos
o Pytho y a su pitonisa se la llamaba *pythia* y adoraba
al dios Apolo. La *pythia* se dejaba colgar sobre una grieta
de donde salían humos volcánicos y allí profetizaba
lo que iba a suceder en el futuro.
De aquellas *pythiae* nació la palabra castellana pitonisa,
que en la actualidad designa a cualquier mujer
que adivine el futuro.

Pollo

Los romanos llamaban *pullus* a la cría de cualquier planta
o animal. Prueba de ello es que en castellano es *repollo*
casi cualquier retoño de verduras y un *pollino* es un burro
joven. Durante algún tiempo, a los muchachos jóvenes se
les llamó *pollos*. Sin embargo, pronto los ciudadanos del
Imperio Romano y, después, los habitantes de Hispania,
llamaron *pollo* sólo a las crías de las gallinas
y de la mayoría de las aves.

Pordiosero

Un pordiosero es un mendigo, un hombre pobre que pide
por las calles o que está en las puertas de las iglesias.
Se les da ese nombre porque dicen: «¡Por Dios,
una moneda, señor!; por Dios, una moneda, señora,
por Dios, por Dios...»; como piden «por Dios»
se les llamó *pordioseros*.

Primavera

La primavera es la estación de las flores, de la alegría,
de los colores y de la juventud. En la actualidad conocemos
cuatro estaciones: primavera, verano, otoño e invierno.
Pero antes las personas entendían las estaciones de otro
modo: tras el invierno venía el *tempus veranum* (el verano),
de modo que no tenían una palabra para definir ese
tiempo intermedio en el que nacen las flores y comienza
a calentar el sol. Pronto imaginaron una palabra,
primo vere (el primer verano), y así nació la *primavera*.

Pulga

La pulga es un insecto saltarín, muy molesto cuando pica; se alimenta de la sangre de otros animales.
Se dice que hay personas que han conseguido domar pulgas y durante algún tiempo se vieron farsantes que anunciaban circos con pulgas equilibristas. Los romanos llamaban a este insecto *pulex*, pero los habitantes de Hispania decían *pulica*; después pronunciaron *pulca* y, finalmente, *pulga*.

Pulpo

Los pulpos son animales marinos; tienen ocho tentáculos y pertenecen a la familia de los cefalópodos. Esta palabra, cefalópodos, significa que los pies (los tentáculos) le salen de la cabeza: *céfalos* era en griego «cabeza», y *podos* es lo mismo que pies. También la propia palabra *pulpo* tiene origen griego, pues allí se llamaba *polypous* (muchos pies). En latín se dijo *polypus* y de *polipus* viene *pólipo* y *pulpo*.

Púrpura

Esta palabra designa un color: el rojo muy oscuro e intenso, casi granate, casi morado. La historia cuenta que estaba Hércules con su amada Tyro junto al mar. El perro del héroe estaba olisqueando entre las rocas y volvió con el morro rojo. A Tyro le gustó mucho aquel color y pidió a Hércules que le consiguiera un vestido con aquel tono. Hércules siguió a su perro y vio que comía unos caracolillos llamados *porphyra*, que segregan una sustancia de color rojo muy intenso. El héroe cogió muchos caracolillos y le hizo el vestido a su amada.

Esos caracoles (*porphyra*) eran muy escasos y difíciles de conseguir, así que se utilizaron sólo para teñir las túnicas de los reyes y los grandes señores. Los latinos llamaron al color *púrpura*.

Queso

El queso se hace con leche cuajada, exprimida y curada. Es un producto conocido y apreciado desde la antiguedad. Los romanos lo llamaban *caseus*, tal vez porque lo cocían, y sobre todo llamaban así al queso fresco y tierno. De *caseus* vino al castellano la palabra *queso*.

Quiosco

Muchas personas piensan que esta palabra es de origen chino, pero no es así. En la antigua Persia, o tal vez en Turquía, los árabes instalaban unas tiendas de campaña para protegerse del sol. Estas tiendas se llamaban *kyosk*. Fueron los franceses los que trajeron esa palabra a Europa y la llamaron *kiosque*, aunque algunos especialistas piensan que fueron los italianos, que la escribían así: *chiosco*. Los quioscos europeos se construían en madera y en el siglo XVIII se empezaron a adornar con motivos chinescos. Por eso la gente piensa que la palabra es china. En la actualidad en los quioscos se venden sólo periódicos o chucherías.

Rábano

El rábano crece bajo tierra y sólo muestra unas hojas verdes al aire. Su forma es semejante a la remolacha, pero es más pequeño. Su carne es blanca por dentro y roja por fuera. En la actualidad no se comen muchos rábanos y se utilizan como aperitivo. La palabra prácticamente sólo se utiliza en la expresión: «me importa un rábano», que es como decir que no nos importa nada, precisamente porque los rábanos no tienen hoy mucho valor. Los griegos los llamaban *raphanos*, los latinos, *raphanus,* y los castellanos, *rábanos.*

Ratón

El ratón es un animal muy listo y tiene gran facilidad para ocultarse y escapar. Algo similar ha ocurrido con el origen

de esta palabra, pues los estudiosos de la lengua no han conseguido averiguar su origen. Los latinos llamaban a estos animales mus, que no tiene ningún parecido fonético con nuestra voz. Entonces, ¿de dónde viene la palabra *ratón*? Muchas lenguas de Europa llaman a este animal (o a la rata, más grande) con palabras parecidas: *rat, ratte, ratolí, radán, ratto...* Un famoso erudito asegura que se llama *ratón* porque cuando escarba o cuando come hace rat rat rat, pero esto no es muy seguro.

Rayo

El rayo es energía eléctrica que se produce en las nubes y que descarga sobre la tierra, causando a veces grandes destrozos. Los romanos tenían la palabra *radius* para designar los rayos del sol, los rayos de las tormentas y los radios de las ruedas. Los radios de las ruedas se parecen a los rayos del sol: salen del centro y van en todas direcciones. De *radium* viene la palabra castellana rayo; y también la palabra *radio* (de las ruedas de los carros y las bicicletas).

Rebeca

En el año 1940, el director de cine Alfred Hitchcock rodó una película con la actriz Joan Fontaine y con el actor Laurence Olivier. La película estaba basada en la novela de una escritora francesa, Daphne du Maurier, y trataba de una joven esposa a la que una malvada ama de llaves pretende volver loca. La protagonista solía vestir una chaqueta de punto y esta prenda se puso de moda en Europa. La chaqueta se llamó *rebeca* porque Rebeca era el nombre de la protagonista y, también, el título de la película.

Regaliz

La voz viene de Grecia: allí se llamaba *riza glykis*, que es lo mismo que «raíz dulce»; así pues la *glykyrriza* pasó al latín como *liquiritia*. Como habitualmente esta raíz dulce se regalaba a los niños, la mezcla dio como resultado *regalicia*, y finalmente se dijo *regaliz*. El regaliz (de palo), de color amarillo, es la raíz de una planta llamada ororuz.

Y por eso en algunas zonas de España los niños lo llamaban *ororuz* o *palolúz*, tal vez porque es amarillo como el oro: *oro + zumo, ororuz*.

Relámpago

Los relámpagos son las luces que producen las descargas eléctricas en las tormentas. En griego *lampein* era tanto como «iluminar, arder»; en latín *lampas* era una «antorcha o un meteoro», y *lampare* era «iluminar». Cuando los castellanos quieren hacer dobles las palabras les añaden el prefijo *re–*, y así se formó *relámpago*.

Rocambolesco

Utilizamos este adjetivo para describir sucesos maravillosos, fantásticos o increíbles. Esta palabra llegó al diccionario español desde Francia: Pierre-Alexis Ponson du Terrail escribió más de veinte novelas que tuvieron gran éxito. El protagonista se llamaba Rocambole, un muchacho que sufrirá numerosas peripecias: duelos, raptos, intrigas, castigos, encuentros con fantasmas, sueños, locuras... Por eso todo lo que parece increíble o lo que sucede tras muchas aventuras recibe, en honor a este personaje, el adjetivo de *rocambolesco*.

S

Salamandra

La salamandra es un anfibio pequeño, parecido a una lagartija regordeta, pero con colores más vistosos: la salamandra es negra y amarilla. Como todos los anfibios es de sangre fría y, según la leyenda, había salamandras que vivían en el fuego para conseguir

un poco de calor. Dicen que el nombre de salamandra
se lo puso un griego que la vio en la oscuridad. Al observar
los círculos amarillos en la oscuridad, el hombre pensó
que eran anillos que se movían: *sale* es «moverse,
agitarse», y *mandra* es «anillo». La salamandra eran
los anillos que se agitan.

Saltimbanqui

Un saltimbanqui es en la actualidad un trapecista, un
equilibrista, un malabarista, un volatinero. Pero antaño
era un charlatán que vendía crecepelos, que adivinaba
el futuro, que amaestraba pulgas y tenía una orquesta
de grillos. Eran farsantes y tahúres. Colocaban un banco
y una mesa, y saltaban de acá para allá tratando de
vender sus productos y engañar a los ciudadanos:
saltaban en el banco. Los italianos los llamaron
saltimbanqui, y en castellano se llamaron *saltaembanco*,
saltibancos o *saltabancos*.

Sardina

Es un pez marino, de color plateado, muy apreciado en la cocina. Los romanos llamaban a este pescado con el nombre *hallec* o *alec*, pero como la mayoría de la pesca se hacía en las costas de Sardinia (Cerdeña, una isla en el mar Mediterráneo), estos peces acabaron por llamarse *halecula sardinia* y, finalmente, sólo se llamaron *sardinias*. Al castellano pasaron con el nombre de *sardinas*.

Serpiente

Llamamos serpientes a casi todas las culebras: son reptiles, no tienen patas y avanzan ondulando

su cuerpo hacia un lado y hacia otro. Antiguamente, cuando
se explicaba qué era una serpiente, los escritores decían
que tenían alas y patas con garras, y las imaginaban
parecidas a dragones. Algún tiempo después,
las serpientes ya sólo se pintaban como culebras.
La Biblia dice por qué las serpientes no tienen patas
y se arrastran por el suelo: el demonio se disfrazó
de serpiente e hizo caer en pecado a Adán y Eva.
Le dijo Dios a la serpiente: «Por lo que has hecho serás
maldita entre todas las criaturas y bestias de la tierra;
caminarás sobre tu vientre y medirás la tierra; enemistad
eterna habrá entre ti y las mujeres». Por esta razón
a la mayoría de las personas las serpientes
les resultan repulsivas.

Siesta

La siesta es el descanso que algunas personas se toman
después de comer. Esta palabra tiene su origen en la
vida de los monasterios medievales. En aquellos tiempos
se contaban las horas de un modo bien distinto a como
se hace en la actualidad. El día se dividía en ocho partes
de tres horas cada una. Los monjes se levantaban muy
temprano, hacia las cinco de la mañana, y esta hora
se llamaba *maitines*; después venían *laudes*, que duraba
hasta las ocho de la mañana, aproximadamente;
después llegaban la *hora prima* (hasta las once de la
mañana) y la *hora tercia* (hasta las dos de la tarde).
Ya por la tarde, después de comer, de dos a cinco,
era la *hora sexta*, y al anochecer era la *hora nona*.
De madrugada, se contaban las *vísperas* y las
completas. El caso es que la *hora sexta* era el tiempo

después de comer: algunos monjes se acostaban
para descansar un rato, y la sexta acabó
por llamarse siesta.

Silvestre

Utilizamos este adjetivo para señalar todo lo que es
salvaje o no está cultivado. Podemos decir que una planta
es silvestre si nace en el campo sin necesidad de que
el hombre la riegue o la cuide. También se aplica a los
animales que viven libres en el monte; y, además,
lo decimos de los hombres que no tienen educación
ni cultura. Los bosques se llamaban en latín silvae,

de donde procede la palabra castellana *selva*. La selva es hoy para nosotros el bosque tropical, pero antiguamente no se conocían las selvas de África o América y todos los bosques eran *silvae*. De *silva* nace *silvestre*: lo que es salvaje e inculto.

Sirena

Las sirenas eran divinidades marinas. Según los griegos, tenían cabeza y pecho de mujer, pero el resto de su cuerpo era como el de las águilas. Después, las sirenas se imaginaron como hermosas jóvenes con cuerpo de mujer y cola de pez. Se decía que las sirenas cantaban maravillosamente y que los marineros, enamorados del sonido de sus voces, se lanzaban al agua y se ahogaban. Las tres sirenas más famosas fueron Parténope, Ligia y Leucosia. Los griegos las llamaban *seirén*, y los latinos *siren*. En castellano se llamaron *sirenas*.

Sombrero

Bien se puede entender que esos objetos con que algunas personas se cubren la cabeza se llaman sombreros porque dan sombra, porque quitan el sol. Los romanos decían *umbra* y los castellanos dijeron después *sombra*. De todos modos, el sombrero moderno sirve también para guarecer la cabeza del frío.

Sortilegio

Hoy entendemos por sortilegio un conjuro, un hechizo, un trabajo de mago o de bruja. Antiguamente un *sortilegio* era un adivino, una persona que podía leer el futuro.

La palabra procede de la unión de dos vocablos latinos: sortis (suerte) y *legere* (leer); el que leía el futuro era un sortilegio; después se llamó sortilegio a la misma adivinación; y finalmente se consideró sortilegio un hechizo o un conjuro. De la palabra sortis (suerte) vino también al castellano la palabra sortija, porque los antiguos pedían a los brujos que convirtieran sus anillos en amuletos mágicos: los anillos de la suerte. Tuvieron anillos mágicos o sortijas muchos grandes hombres, entre ellos Carlomagno, el rey de los francos. Decían que algunos de estos anillos hacían invisibles a sus dueños; y otros aseguraban que con ellos en la mano podían ver el futuro.

Susurro

Los susurros son las conversaciones o las palabras que apenas se pueden oír, porque se pronuncian en voz muy baja. Ya los romanos tenían una palabra parecida para designar la misma acción: susurrare. La palabra indica, con su sonido, el significado que tiene, pues cuando estamos hablando en voz baja, hacemos un sonido parecido a: s-s-rr... y la voz susurro pretende imitar ese sonido.

Taburete

Los antiguos persas llamaban a los tambores tabir. Esta palabra la tomaron los franceses para designar sus propios tambores, y la escribieron así: tabour, que se pronuncia «tabur». Cuando los franceses tuvieron delante un tambor y un asiento sin respaldo, pensaron que ambos

objetos se parecían mucho, y al asiento sin respaldo lo llamaron *tabouret* (el tamborcillo). Esta palabra pasó al castellano como *taburete*. Más adelante, en Francia, llamaron *tambour* al tambor.

Tocino

El tocino es la grasa que hay bajo la piel del cerdo. La cría de cerdos y el aprovechamiento de su carne son muy antiguos, pues ya los habitantes de la época prerromana conocían las delicias de su carne. Los celtas que vivieron en Hispania llamaban al tocino *tuccetum*, y conocían el arte de conservar las piezas del cerdo para poderse alimentar durante todo el invierno. De esta voz celta procede nuestra voz *tocino*.

Tomate

El tomate es un fruto de mata, colorado, redondo y, cuando está maduro, muy jugoso y con jugo dulce en su interior. Los españoles trajeron de América los tomates y la palabra la conocieron por los indios del sur de México que hablaban una lengua llamada náhuatl. Estos indios llamaban al tomate *tomátl*, de donde viene nuestra voz *tomate*.

Troglodita

Llamamos trogloditas a las personas que son muy brutas, cuyos modales son bruscos o violentos. Los griegos antiguos eran un pueblo muy culto y sabio; entre ellos hubo grandes filósofos, como Platón, matemáticos, como Pitágoras, poetas, como Homero, escultores, como Praxíteles, etc. Pero también eran buenos marinos y salieron de sus puertos a descubrir el mundo; y llegaron hasta las costas de la Península. Hacia el sur, llegaron hasta Etiopía y allí descubrieron a unos hombres que vivían en cavernas, como si fuesen animales. Comían carne de serpiente, no empleaban las palabras y se comunicaban unos con otros mediante gritos. Los llamaron *troglodytes* (los hombres que viven en las cuevas, porque *troglon* es «caverna o cueva», y el verbo *dynein* significaba «vivir, habitar»). De esta palabra griega, *troglodytes*, viene la voz castellana *troglodita*.

Urogallo

El urogallo es un animal parecido a una gallina, aunque un poco más grande. Vive en estado salvaje y no se puede domesticar. Son animales muy esquivos y pocas veces se les ha visto. Se llama *urogallo* porque se parece a un *gallo* y su canto de apareamiento suena como el mugido de un *uro*. Los uros eran toros salvajes, que, tras años y años de caza por parte del hombre, terminaron por extinguirse.

Veneno

El veneno es una sustancia que mata o enferma al que lo bebe. Antiguamente el veneno podía ser bueno o malo. Si era bueno, era lo mismo que medicina. Por eso a algunos farmacéuticos y boticarios los llamaban *venenarios*. La historia demuestra que los hombres se han envenenado desde tiempos remotos. Los persas, sin embargo, consideraban el envenenamiento un delito muy grave, y al envenenador le rompían la cabeza con dos piedras.

Vergüenza

Es la turbación o el sentimiento que se produce en una persona cuando otras la ponen en evidencia. La palabra castellana *vergüenza* procede de la voz latina *verecundia*, que era la timidez, la discreción o el respeto que una persona sentía ante otra de mayor poder. En España se utilizaron las palabras *vereguncia*, *verguncia*, *vergüinza*, *vergoña* y, finalmente, *vergüenza*.

Xilófono

El xilófono es un instrumento musical, compuesto
de planchas de metal que se golpean con unas porras,
de modo que se obtiene un sonido cantarín y alegre.
Los antiguos xilófonos, sin embargo, no eran de metal,
sino de madera: *xylon* significa «madera» en griego,
y en la misma lengua *phone* es «sonido, ruido».
El xilófono es «la madera que suena».

Zanahoria

La zanahoria es una hortaliza; crece bajo la tierra,
dejando asomar sólo sus hojas verdes, que se parecen
un poco al perejil. La zanahoria ya era bien conocida
en Grecia, donde se llamaba *staphylinos agria*; cuando
los árabes conocieron esta palabra, casi no supieron
pronunciarla y la llamaron *safulnagria* o *stafulnagria*.
Después, muchos años más tarde, cuando los árabes
llegaron a la Península Ibérica, enseñaron a los
castellanos el nombre de aquel fruto; les dijeron que se
llamaba *safunariya*. Los judíos, que también vivían en esta
parte del mundo, junto a cristianos y musulmanes,
lo pronunciaban *safanoria* o *safannaria*. A los castellanos
les resultó muy difícil esta palabra, y decían *safanoria*,
zafanoria, *zanaforia* y, finalmente, *zanahoria*.

Zodiaco

Todos los grandes pueblos de la Antigüedad estudiaron
los astros y su influencia en la vida de las personas
e hicieron horóscopos. Los babilonios, los egipcios,

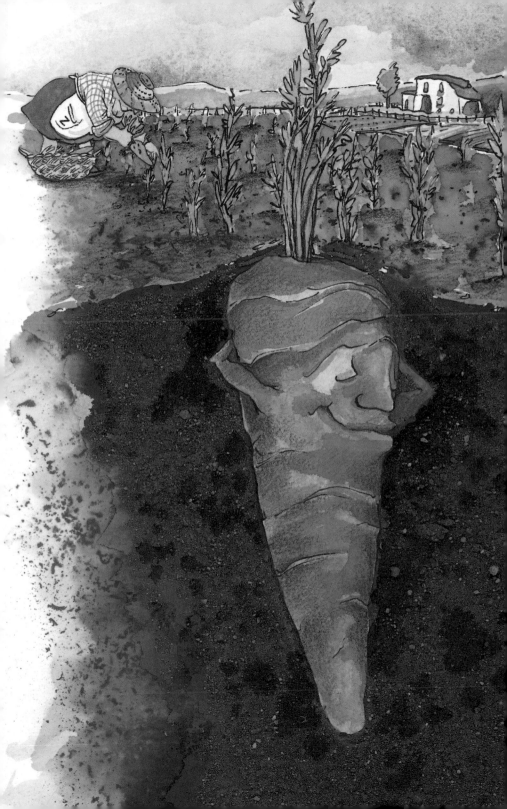

los persas, los griegos y los romanos conocían bien el zodiaco y creían que el mundo estaba regido por el curso de los astros y las estrellas. La palabra zodiaco viene del griego zoion, que significa «animal». El zodiakos era un conjunto de animales, pues los griegos creían que los grupos de estrellas formaban dibujos con formas de animales u otros objetos. Los signos del zodiaco son doce:

Aries. Su nombre procede del dios griego Ares y se representa con un carnero porque los sacrificios a esta divinidad eran siempre con carneros. El ariete es una viga con una figura de bronce en forma de carnero en su parte delantera. Servía para asaltar ciudades y castillos.

Taurus. Es el toro; es el símbolo de la fuerza.

Géminis. Son los gemelos, o los mellizos: representa a los dos hijos gemelos del dios Zeus, llamados Cástor y Pólux.

Cáncer. Es el cangrejo, y se representa con la figura de este animal.

Leo. Es el león; es el rey de todos los animales; es la fuerza y el valor.

Virgo. Es la doncella, la virgen. Se le representa con una muchacha que tiene dos espigas en la mano.

Libra. Es la balanza; representa la justicia.

Scorpio. Es el escorpión, y es el símbolo de la muerte.

Sagitario. Es el centauro; el caballero que lanza flechas (sagitas).

Capricornio. Es la cabra o, más bien, el cuerno de la cabra: cuando Zeus era pequeño, mientras jugaba, le rompió un cuerno a su cabra Amaltea. Cuando ésta murió, para honrarla, la convirtió en constelación de estrellas.

Acuario. Es el agua, el símbolo de la fertilidad y el juicio.

Piscis. Son los dos peces, uno remonta la corriente y otro se deja llevar por ella.

ÍNDICE